Y0-BDK-307

Directrice : Sarah Kœgler-Jacquet
Directrice de projets : Sandra Berthe
Éditrice : Elsa Hug, assistée de Marie Rodriguez
Graphiste : Fanny Boiron
Maquette : Ivana Vukojicic
Traduction : Sophie Kœchlin
Lecture-correction : Cécile Beaucourt et Agnès Scicluna

Where's the unicorn a été publié pour la première fois en Grande-Bretagne en 2017
par Buster Books, Michael O'Mara Books Limited.

Illustrations de Paul Moran assisté par Simon Ecob, Stuart Taylor et Wab (Big Red Illustration)

58, rue Jean Bleuzen – 92178 Vanves Cedex.
Dépôt légal : octobre 2018 – Édition 11.
Loi n° 49-956 du 16 juillet 1949 sur les publications destinées à la jeunesse.
Imprimé en France par Pollina. Achevé d'imprimer en septembre 2020 - 94737.

PAPIER À BASE DE FIBRES CERTIFIÉES

Deux Coqs d'Or s'engage pour l'environnement en réduisant l'empreinte carbone de ses livres. Celle de cet exemplaire est de :
550 g éq. CO_2
Rendez-vous sur www.deux-coqs-dor-durable.fr

Où sont cachées les

LiCORNES ?

INTRODUCTION

Les licornes ont tellement joué à cache-cache dans la vallée de l'Arc-en-Ciel, qu'elles connaissent toutes les cachettes par cœur. Elles ont donc décidé de partir à l'aventure dans le vaste monde pour trouver de nouveaux endroits où se dissimuler...

Rubis, la licorne au grand cœur, a organisé pour ses amies un voyage extraordinaire. Les licornes ne sont pas près d'oublier ce fantastique tour du monde !

À toi de jouer ! Sur chaque scène, réussiras-tu à repérer chacune des sept licornes ? Si tu veux relever encore plus de défis, rends-toi à la fin du livre pour connaître tous les personnages et tous les objets que tu peux chercher dans les différentes images.

LES LICORNES DE LA VALLÉE DE L'ARC-EN-CIEL

FEUILLE

Intrépide et courageuse, Feuille adore l'aventure et n'hésite pas une seule seconde à explorer les zones inconnues de la forêt. Aucune licorne n'ose alors la suivre.

RUBIS

Rubis est à la tête du groupe des licornes de la vallée de l'Arc-en-Ciel. Cette licorne très généreuse est toujours prête à aider son prochain.

FLOCON

Cette âme sage et sensible ne parle pas beaucoup, mais elle sait écouter ses amies et leur prodiguer de précieux conseils. Lors d'une partie de cache-cache, elle est souvent la dernière à être découverte.

FLEUR

C'est la plus sensible des licornes. Lors des parties de cache-cache, elle préfère chercher les autres plutôt que s'efforcer de trouver la meilleure cachette.

LUNE

Cette licorne, la plus rapide d'entre toutes, adore se mesurer aux autres animaux lors de courses endiablées. Son rêve ? Gagner un trophée au cours du Fantastique Tournoi des Créatures magiques !

POUSSIÈRE D'ÉTOILES

Avec son grand sourire et son sens de l'humour, Poussière d'Étoiles a tout d'une artiste ! C'est toujours la première à être trouvée lors des parties de cache-cache... à cause de ses fous rires incontrôlables.

AMÉTHYSTE

C'est la licorne la plus studieuse de la vallée de l'Arc-en-Ciel. Elle est toujours plongée dans ses livres pour assouvir sa soif de connaissances. Dans un an, elle ira à la Licorniversité... et elle en piaffe d'impatience.

DANS LA GRANDE VILLE

Les licornes commencent leur tour
du monde dans une ville très animée !
Dans ces rues surpeuplées, la calme et tranquille
vallée de l'Arc-en-Ciel leur semble bien loin.
Rubis s'est occupée du programme de
la journée. Il y a beaucoup de choses à voir,
notamment l'immense statue de bronze
de Pégase. Quelle beauté !

Améthyste a téléchargé l'audioguide
de la visite. Elle est fascinée par l'histoire
des monuments de la ville.

As-tu trouvé toutes les licornes ?

CENTRE
VILLE

AU FESTIVAL DE MUSIQUE

Rubis a réussi à obtenir sept billets pour le concert du soir. Tandis qu'elle bavarde avec des techniciens, Poussière d'Étoiles danse sur scène. Flocon est un peu inquiète, car elle a un besoin pressant… et elle trouve que les toilettes manquent vraiment de magie !

Quant à Améthyste, elle se sent très à l'aise à l'autre bout de la prairie : elle agite sa crinière au milieu de la foule et fait son show !

As-tu trouvé toutes les licornes ?

UNE SOIRÉE AU CAMPING

Les licornes sont heureuses de retrouver la compagnie des arbres... mais elles n'ont jamais vu une forêt aussi bruyante !

Des centaines de personnes bavardent, jouent de la musique et dansent au milieu d'une clairière. Rubis est fascinée par les guimauves qui grillent sur le feu de camp. Fleur, qui préfère le calme et la tranquillité, fait tout pour passer inaperçue.

As-tu trouvé toutes les licornes ?

SUR LA BANQUISE

Brrrrrrrrr ! Sur la banquise, il fait un peu trop froid pour les licornes. Et avec leur corne, impossible de porter un bonnet de laine !

Malgré cela, Fleur est ravie de voir danser les pingouins et les baleines, tandis que Flocon caracole sur la banquise. Sans le faire exprès, elle a même fait tomber quelques pingouins dans l'eau glacée... et tente de s'excuser avant qu'ils ne se fâchent.

As-tu trouvé toutes les licornes ?

QUEL BEAU FEU D'ARTIFICE !

BANG ! FIZZ ! BING ! Les licornes sont un peu effrayées par le fracas du feu d'artifice, mais Flocon est époustouflée par ses couleurs étincelantes. Elle essaie de mettre le sabot sur une fusée qui lui permettrait d'écrire son nom en lettres de feu dans le ciel.

Feuille, qui n'a jamais peur de rien, passe un très bon moment. Elle adore le sifflement des fusées et la lueur éblouissante qu'elles produisent en explosant.

As-tu trouvé toutes les licornes ?

AU MUSÉE

Les vacances ne seraient pas parfaites sans une excursion au musée. Améthyste se sent dans son élément : elle est tellement heureuse d'apprendre de nouvelles choses sur les civilisations anciennes ! Elle a même découvert un objet sculpté dans une corne de licorne... et ça lui donne la chair de poule.

En revanche, Lune, qui ne s'est jamais autant ennuyée, ne rêve que de s'en aller...

As-tu trouvé toutes les licornes ?

À LA PATINOIRE

Les licornes n'avaient jamais patiné auparavant… et ça se voit ! Poussière d'Étoiles n'a pas encore réussi à se mettre debout, et Feuille ne compte plus les chutes.

Seule Flocon semble maîtriser la technique : elle arrive à faire des pirouettes et à patiner à reculons. De son côté, Fleur est un peu contrariée d'avoir dû louer quatre patins à glace : cette activité coûte décidément trop cher !

As-tu trouvé toutes les licornes ?

SUR LA PLAGE

Vive le surf ! Les licornes adorent se détendre sur la plage.

Fleur a peur de s'approcher de l'eau depuis qu'elle a vu un documentaire sur les requins, mais Feuille est impatiente de nager. Elle aimerait bien rencontrer un narval, cette créature marine dont la corne ressemble à celle des licornes. Améthyste lui a dit que, pour cela, elle ne se trouvait pas sur le bon continent, mais elle n'a pas très bien compris ce que ça voulait dire...

As-tu trouvé toutes les licornes ?

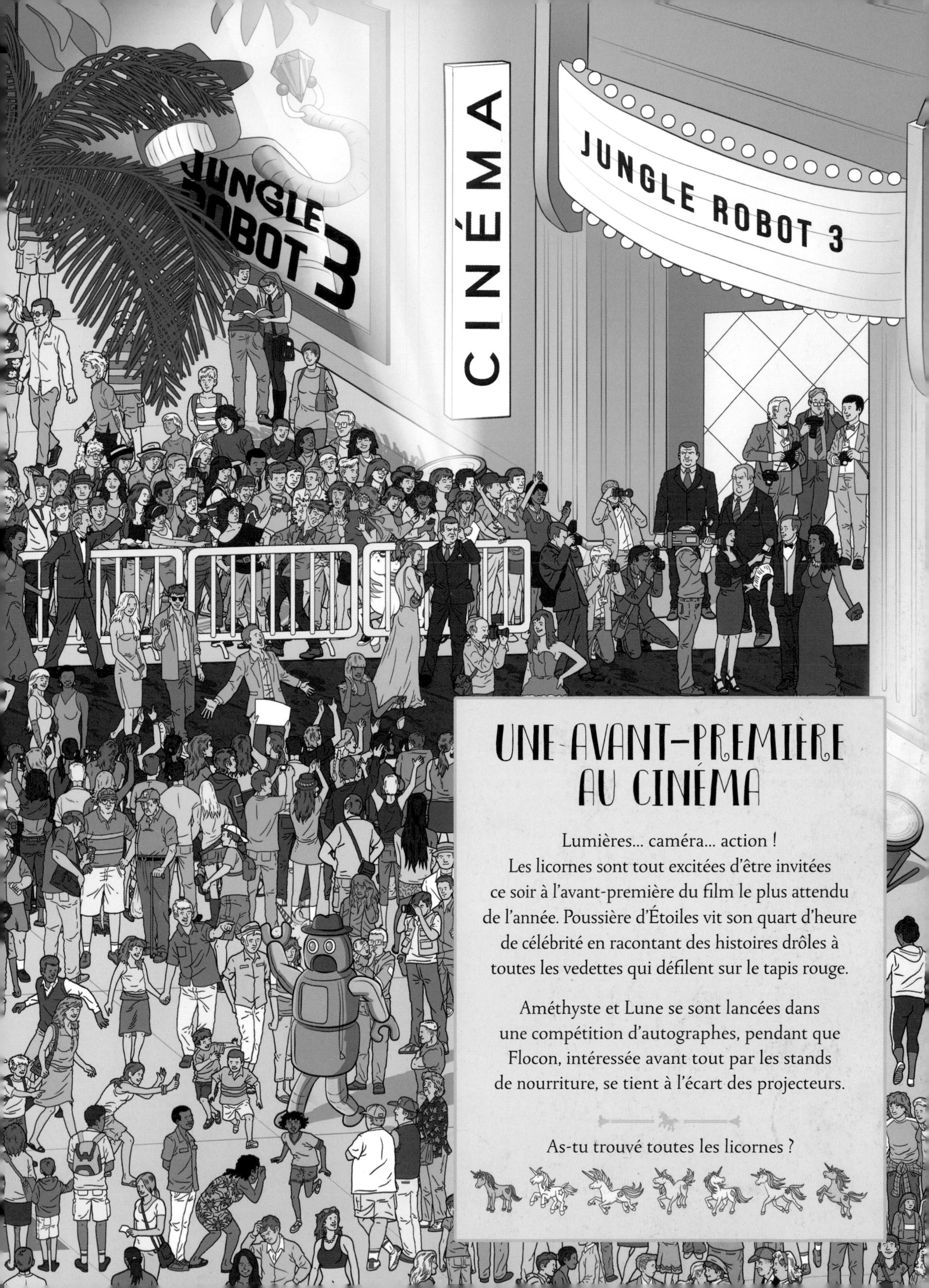

UNE AVANT-PREMIÈRE AU CINÉMA

Lumières… caméra… action !
Les licornes sont tout excitées d'être invitées ce soir à l'avant-première du film le plus attendu de l'année. Poussière d'Étoiles vit son quart d'heure de célébrité en racontant des histoires drôles à toutes les vedettes qui défilent sur le tapis rouge.

Améthyste et Lune se sont lancées dans une compétition d'autographes, pendant que Flocon, intéressée avant tout par les stands de nourriture, se tient à l'écart des projecteurs.

As-tu trouvé toutes les licornes ?

UNE JOURNÉE AU ZOO

Les licornes sont très impressionnées par les animaux du zoo.

Améthyste essaye de communiquer avec les pingouins en dansant et en poussant de drôles de cris… mais ça ne fonctionne pas très bien. Flocon teste la mémoire des éléphants en leur posant toutes sortes de questions, notamment à propos de la taille de leurs oreilles, de leur peur des souris et de l'école qu'ils ont fréquentée quand ils étaient petits.

As-tu trouvé toutes les licornes ?

À LA DÉCOUVERTE DE MOSCOU

Avec la neige qui commence à tomber sur la ville, il y a comme de la magie dans l'air ! Les licornes adoreraient assister au défilé de la cavalerie.

Rubis et Fleur ne se lassent pas d'admirer les dômes colorés de la cathédrale, encore plus belle lorsqu'elle s'illumine dans la nuit. Lune, qui n'en peut plus de se tenir tranquille, fait le tour de la place au galop pour se réchauffer.

As-tu trouvé toutes les licornes ?

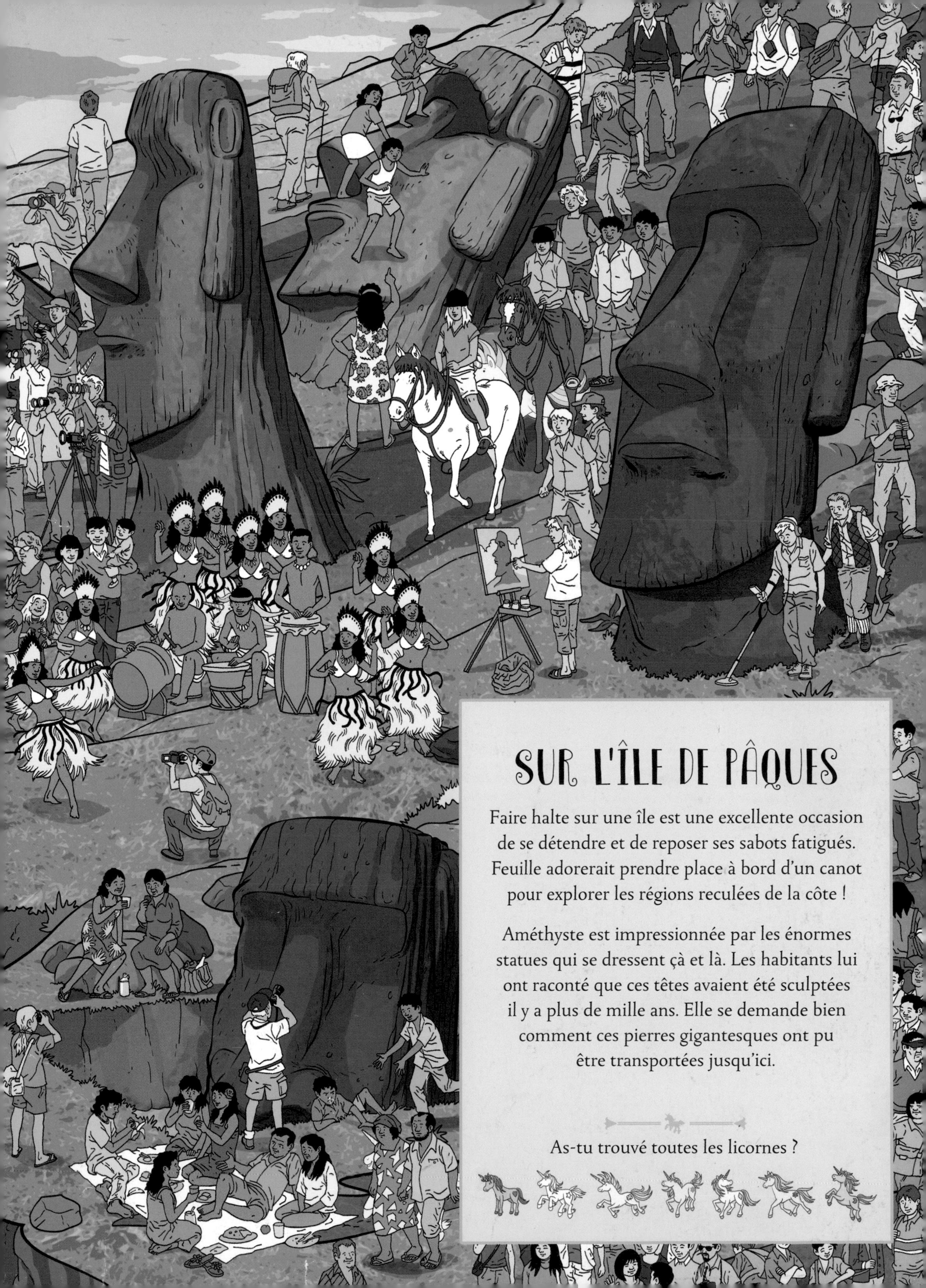

SUR L'ÎLE DE PÂQUES

Faire halte sur une île est une excellente occasion de se détendre et de reposer ses sabots fatigués. Feuille adorerait prendre place à bord d'un canot pour explorer les régions reculées de la côte !

Améthyste est impressionnée par les énormes statues qui se dressent çà et là. Les habitants lui ont raconté que ces têtes avaient été sculptées il y a plus de mille ans. Elle se demande bien comment ces pierres gigantesques ont pu être transportées jusqu'ici.

As-tu trouvé toutes les licornes ?

EN VISITE DANS UN TEMPLE

Flocon a finalement trouvé un peu de calme et de silence. Elle s'est réfugiée loin de la foule, dans un temple, pour une séance de méditation. Époustouflée par la beauté et la précision du jardin zen, elle a hâte d'en créer un à son retour, dans la vallée de l'Arc-en-Ciel.

Dehors, les licornes s'émerveillent devant la splendeur des bâtiments, des cerfs-volants colorés et des costumes traditionnels.

As-tu trouvé toutes les licornes ?

AU THÉÂTRE
Rubis a décidé d'emmener toutes les licornes au théâtre.
Quelques-unes d'entre elles se joignent à la troupe pour tester leurs talents de comédiennes, tandis que d'autres préfèrent regarder le spectacle en mangeant des glaces.
Poussière d'Étoiles n'est pas contente, car ses voisins lui ont demandé de se taire. Vexée, elle décide de quitter les rangées de fauteuils pour rejoindre la scène.
As-tu trouvé toutes les licornes ?

À LA PISCINE

Les licornes s'amusent comme des folles à la piscine ! Fleur s'est fait gronder pour avoir exécuté une bombe en sautant dans le bassin, et Poussière d'Étoiles dévale un toboggan. Feuille, qui fait la queue depuis une éternité, perd patience : avec sa corne, elle pousse la personne qui se trouve devant elle pour la faire avancer plus vite.

Lune s'inquiète à cause du chlore : elle a très peur que sa crinière devienne verte. Elle n'a pas du tout envie de ressembler à Feuille !

As-tu trouvé toutes les licornes ?

EN SAFARI

Dans la savane africaine, les licornes vivent une journée… sauvage ! Lune essaye désespérément de trouver l'animal capable de disputer un sprint avec elle. Améthyste lui a parlé du guépard, qui peut courir à 100 kilomètres-heure, et elle a très envie de le rencontrer.

Poussière d'Étoiles se tord de rire à la vue de cet animal bizarre qu'est le phacochère. Les autres se chauffent au soleil, heureuses de se détendre avant d'entreprendre leur long voyage de retour vers la vallée de l'Arc-en-Ciel.

As-tu trouvé toutes les licornes ?

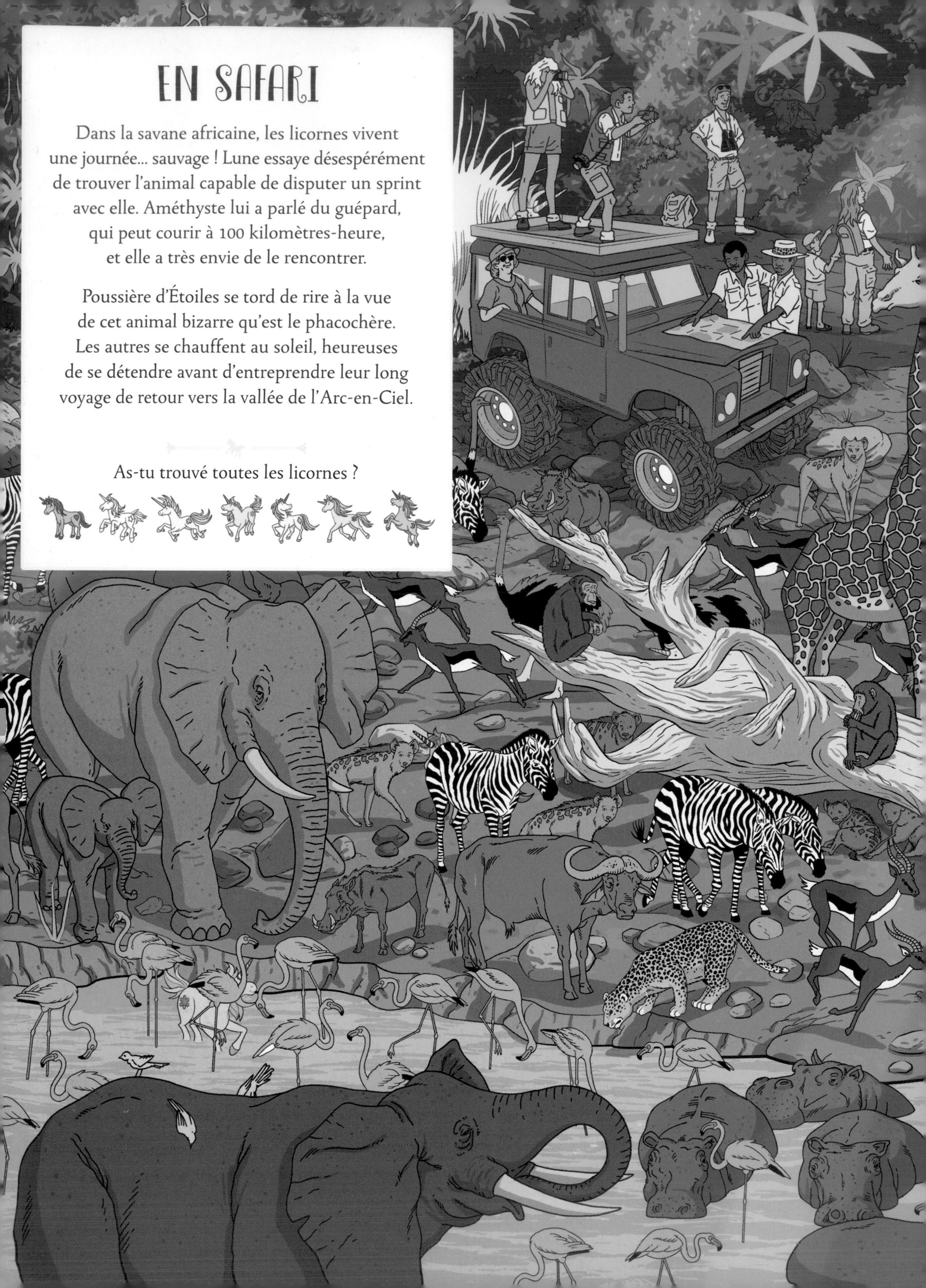

RÉPONSES

LES AS-TU REPÉRÉS ?

- Un garçon qui grimpe là où il ne devrait pas
- Un clown
- Un homme avec une baguette de pain
- Un voleur
- Trois hommes-statues
- Un sac de courses renversé
- Un homme en patins à roulettes
- Un homme qui mange une banane
- Un T-shirt avec une cible
- Un homme perché sur une boîte qui fait un discours

DANS LA GRANDE VILLE

AU FESTIVAL DE MUSIQUE

LES AS-TU REPÉRÉS ?

- Quatre gardes du corps musclés
- Une personne malade
- Deux personnes qui « surfent sur la foule »
- Un groupe de fées
- Un homme qui signe des autographes
- Des machinistes qui jouent aux cartes
- Un plateau de hamburgers
- Un drapeau rouge et blanc
- Un homme en chemise violette
- Une fille qui porte un jean déchiré

UNE SOIRÉE AU CAMPING

LES AS-TU REPÉRÉS ?

- Une course en sac
- Une bataille de chiens
- Un homme qui jongle avec des torches enflammées
- Un garçon qui fait peur à ses amis
- Un homme qui répare un van
- Un homme qui grimpe à un arbre
- Un joueur de banjo
- Un télescope
- Un homme qui raconte des histoires de fantômes
- Des guimauves grillées

LES AS-TU REPÉRÉS ?

- Un couple arrosé par un goéland
- Un homme avec un cache-œil
- Un pingouin qui conduit
- Un homme avec une caméra
- Une personne poursuivie par les pingouins
- Une personne qui tient un poisson
- Un surfeur des neiges
- Quatre paires de jumelles
- Des crustacés
- Des boîtes renversées

SUR LA BANQUISE

QUEL BEAU FEU D'ARTIFICE !

LES AS-TU REPÉRÉS ?

- Un poster avec un smiley
- Un enfant la tête en bas
- Une femme qui porte un chiot
- Cinq pompiers
- Un couple avec un panier de pique-nique
- Une femme avec des fleurs roses
- Des enfants avec des fusées de feu d'artifice
- Un homme avec une contrebasse
- Une fille en scooter
- Un homme avec une guitare sur le dos

LES AS-TU REPÉRÉS ?

- Deux hommes qui font l'avion
- Un homme qui imite l'ours
- Un garçon avec un masque tribal
- Un professeur avec une pipe
- Un chat de gouttière
- Un cambrioleur
- Un garçon avec une boisson gazeuse
- Un enfant effrayé par une tortue
- Un couple de personnes âgées qui lit une carte
- Un homme qui travaille sur son ordinateur

LES AS-TU REPÉRÉS ?

- Un enfant qui apprend à jouer au hockey
- Un homme avec un chapeau-claque
- Des filles assises sur la balustrade
- Une famille sans patins à glace
- Un bonhomme de neige
- Un enfant sur une luge
- Un homme qui fait le grand écart
- Une fille qui aide une amie à se relever
- Une boule de neige géante
- Une chaîne de patineurs

LES AS-TU REPÉRÉS ?

- Un joueur de frisbee
- Un homme avec un harpon
- Une personne qui a la migraine
- Un concours de limbo
- Une femme tatouée
- Des enfants qui construisent un château de sable
- Un garçon avec une épuisette
- Un homme avec un chapeau rouge, vert et jaune
- Un maillot de bain rayé jaune et violet
- Une femme au téléphone

UNE AVANT-PREMIÈRE AU CINÉMA

LES AS-TU REPÉRÉS ?

- Une femme aux cheveux verts ☐
- Un kit de survie ☐
- Un pistolet à eau ☐
- Un homme avec une canne ☐
- Une caméra de télévision ☐
- Une fille qui mange une barbe à papa ☐
- Un motard ☐
- Un homme avec une cravate violette ☐
- Une femme qui lit un livre ☐
- Une personne avec des lunettes roses ☐

LES AS-TU REPÉRÉS ?

- Trois singes évadés ☐
- Une brouette puante ☐
- Un éléphant à qui on donne une banane ☐
- Un garçon qui perd sa casquette ☐
- Une fille avec un béret noir ☐
- Un homme en chemise hawaïenne ☐
- Un enfant sur les épaules de son père ☐
- Un drôle de félin chez les lions ☐
- Six gardiens de zoo ☐
- Un paon ☐

UNE JOURNÉE AU ZOO

À LA DÉCOUVERTE DE MOSCOU

LES AS-TU REPÉRÉS ?

- Un garçon avec une kippa ☐
- Un homme qui lit un journal ☐
- Un groupe de truands ☐
- Un voleur de sac ☐
- Un homme avec un nœud papillon ☐
- Une femme aux cheveux roses ☐
- Un homme qui fait signe de la main ☐
- Un groupe de religieuses ☐
- Un homme qui porte un enfant ☐
- Un homme avec des lunettes de ski ☐

LES AS-TU REPÉRÉS ?

- Deux amoureux qui pique-niquent
- Une mère mécontente
- Une raie
- Deux chasseurs de trésors
- Un jeu de cartes
- Un garçon qui suce son pouce
- Un artiste
- Deux personnes qui comparent des poissons
- Une personne tombée dans un trou
- Un homme qui lit

LES AS-TU REPÉRÉS ?

- Un nounours
- Un sumo qui signe un autographe
- Un homme avec des cheveux verts
- Un cerf
- Un homme avec une caméra
- Un couple qui regarde ses photos
- Des écoliers avec un samouraï
- Une femme qui fouille dans son sac
- Une fille avec un smartphone
- Un T-shirt avec une cible

LES AS-TU REPÉRÉS ?

- Un acteur qui tient sa perruque
- Une sirène amoureuse
- Une boisson glacée renversée
- Un homme qui mange salement
- Une dame âgée en colère
- Un homme âgé qui bâille et s'étire
- Des garçons qui jouent aux cartes
- Une fille qui fait une bulle de chewing-gum
- Une femme qui se bouche les oreilles
- Un tout petit bébé

À LA PISCINE

LES AS-TU REPÉRÉS ?

- Une personne habillée poussée dans l'eau ☐
- Une femme qui porte un sombrero ☐
- Un homme avec des brassards ☐
- Un garçon avec un pistolet à eau ☐
- Un homme qui nage le papillon ☐
- Un bonnet de bain rose ☐
- Une pyramide humaine ☐
- Un canard gonflable ☐
- Deux hommes avec des pendentifs ☐
- Une personne en train de bronzer qui se fait arroser ☐

LES AS-TU REPÉRÉS ?

- Un éléphanteau ☐
- Un buffle timide ☐
- Un singe tenté par des sandwichs ☐
- Un chapeau à motifs léopard ☐
- Un lion qui terrorise des touristes ☐
- Une femme portant un haut rayé ☐
- Trois phacochères ☐
- Un chimpanzé très détendu ☐
- Un flamant à la queue blanche ☐
- Un prédateur assoiffé ☐

EN SAFARI